Journée à la plage

Par Amy Ackelsberg
Illustré par Laura Thomas

Publié par Presses Aventure, une division de
Les Publications Modus Vivendi Inc.
55, rue Jean-Talon Ouest, 2e étage
Montréal (Québec) H2R 2W8
CANADA
www.groupemodus.com

Publié pour la première fois en 2013 par Grosset & Dunlap sous le titre original *Fun in the Sun*

Éditeur : Marc Alain
Traduit de l'anglais par Karine Blanchard

Dépôt légal — Bibliothèque et Archives nationales du Québec, 2014
Dépôt légal — Bibliothèque et Archives Canada, 2014

ISBN 978-2-89660-814-0

Nous reconnaissons l'aide financière du gouvernement du Canada par l'entremise du Fonds du livre du Canada pour nos activités d'édition.

Gouvernement du Québec — Programme de crédit d'impôt pour l'édition de livres — Gestion SODEC

Imprimé en Chine

C'est une journée d'été magnifique à Fraisi-Paradis. Le soleil brille, les papillons volettent dans la brise et il n'y a pas un nuage à l'horizon. « Quelle belle journée pour aller à la plage avec les copines ! » dit Fraisinette à Prunelle en déposant tout ce dont elles ont besoin sur leurs mobylettes.

Toutes les amies de Fraisinette se rassemblent avant de partir.
« Êtes-vous prêtes pour une journée sous le soleil ? » demande Cerisette.
« Oui ! » s'exclame Framboisine.

« J'ai apporté ma pelle et mon seau, dit Mandarine.
Je veux construire un château de sable ! »
« J'ai si hâte de lire mes livres préférés ! » dit à son tour Bleuette.
« Savez-vous ce que je préfère à la plage ? » demande Prunelle.

« L'océan ! » s'écrient Fraisinette, Mandarine et Bleuette.
« Moi, j'adore sauter dans les vagues », dit Cerisette.

« J'aime nager sous l'eau », ajoute Framboisine.

« Et toi, Citronette ? demande Prunelle. Que préfères-tu à la plage ? »
« Je ne sais pas trop », dit Citronette, qui semble inquiète.
« C'est l'heure de partir ! » les interrompt Fraisinette.
Les filles sautent sur leurs mobylettes et filent vers la plage.

Aussitôt arrivées, Fraisinette et ses copines se lancent dans les vagues. Mandarine et Cerisette plongent à la recherche de coquillages. Fraisinette et Prunelle surfent sur l'eau. Framboisine et Bleuette font leurs exercices de natation.

Toutes les filles s'amusent bien dans la mer.
Toutes, sauf une...

« Citronette ! appelle Mandarine. Tu ne veux pas te baigner ? »
Au même instant, une grosse vague se brise sur le sable.
« Je ne crois pas », répond Citronette.
Elle baisse la tête et reprend sa lecture.

« Hum... dit Prunelle. Je me demande pourquoi Citronette ne veut pas nager. »
« Elle nous rejoindra peut-être plus tard », dit Bleuette.

Après quelque temps, les filles sortent de l'eau.
« Cette baignade m'a creusé l'appétit ! » dit Mandarine
en distribuant des sandwiches et des boissons à chacune.
« Miam ! dit Cerisette. Ces frappés aux fruits sont très rafraîchissants ! »

Après le repas, les filles se détendent et lisent un bon livre.

Ensuite, Cerisette fait jouer de la musique,
et les copines dansent en suivant le rythme.
« J'adore cette chanson ! » s'exclame Prunelle.

Puis, les filles s'amusent à s'enterrer dans le sable.
« Vous aimez mon collier d'algues ? » demande Fraisinette.

Tout à coup, Bleuette se lève d'un bond.
« La dernière à l'eau est une poule mouillée ! » s'écrie-t-elle.
« Attends-nous ! » s'exclament Fraisinette, Prunelle, Mandarine et Cerisette en courant vers les vagues.

Citronette reste derrière.
« Tu viens, Citronette ? » demande Framboisine.
« Non, répond Citronette. Je crois que j'ai trop mangé.
J'ai mal au ventre. »

Citronette reste sur la plage, tandis que ses copines s'amusent et rigolent dans l'océan.

«J'aimerais bien que Citronette soit avec nous, dit Mandarine.
Elle manque de bons moments!»
Fraisinette se tourne vers Citronette. Celle-ci a l'air bien triste.
«Je vais aller la voir», dit Fraisinette en regagnant la plage.

« Citronette, dit Fraisinette. Tu n'es pas allée dans l'eau du tout, aujourd'hui. Quelque chose ne va pas ? »
« Fraisinette, je ne suis pas une très bonne nageuse, dit Citronette. J'ai peur d'aller dans l'océan ! »
« C'est normal d'avoir peur ! dit Fraisinette à son amie. L'océan est immense, alors que nous sommes toutes petites. C'est pourquoi nous nageons toutes ensemble, pour veiller les unes sur les autres ! »

Fraisinette fait un gros câlin à Citronette. Les autres filles se joignent à elles. « Tu n'as pas à aller dans l'eau si tu n'en as pas envie », dit Mandarine à sa copine. « Mais nous sommes là pour toi si tu changes d'avis ! » ajoute Framboisine.

Fraisinette et ses amies passent tout le reste de l'après-midi à construire un gigantesque château de sable sur la plage.

Juste avant de partir, Citronette regarde l'océan une dernière fois.
« Hum... dit-elle. Je devrais peut-être essayer. »
« Tu en es certaine ? » demande Bleuette.
« Oui », répond Citronette.

« Tout va bien, Citronette ? » demande Fraisinette.
« Oui », répond Citronette.
Elle fait ensuite un câlin à ses amies.
« L'océan n'est pas aussi effrayant que je le pensais, dit-elle.
Surtout quand on est entourée de ses meilleures amies ! »